¿Escuchaste eso?

¡Son los sonidos de tu cuerpo!

DIRECCIÓN EDITORIAL: Adriana Beltrán Fernández
COORDINACIÓN DE LA COLECCIÓN: Karen Coeman
CUIDADO DE LA EDICIÓN: Pilar Armida y Obsidiana Granados
FORMACIÓN: Maru Lucero
TRADUCCIÓN DEL INGLÉS: Pilar Armida

¿Escuchaste eso? ¡Son los sonidos de tu cuerpo!

Título original en inglés: *Do You Hear That? Sounds From the Body*
(CONG-AL Series 1408)

Texto D.R. © 2008, Soon-jae Shin
Ilustraciones D.R. © 2008, Choi Min-o

Editado por Ediciones Castillo
por acuerdo con Woongjin Think Big Co.,
Ltd., Seúl, 110-810, Corea del Sur.

PRIMERA EDICIÓN: abril de 2012
D.R. © 2012, Ediciones Castillo, S.A. de C.V.
Castillo ® es una marca registrada.

Insurgentes Sur 1886, Col. Florida,
Del. Álvaro Obregón,
C.P. 01030, México, D.F.

**Ediciones Castillo forma parte
del Grupo Macmillan**

www.grupomacmillan.com
www.edicionescastillo.com
infocastillo@grupomacmillan.com
Lada sin costo: 01 800 536 1777

Miembro de la Cámara Nacional
de la Industria Editorial Mexicana.
Registro núm. 3304

ISBN: 978-607-463-548-5

Impreso en México/*Printed in Mexico*

¿Escuchaste eso?

¡Son los sonidos de tu cuerpo!

Texto de Soon-jae Shin | Ilustraciones de Choi Mino

CASTILLO

MUNDO MOSAICO

La rana y el niño tienen la boca muy abierta.

¿Qué están haciendo?

¡Están cantando!

Cuando cantas, el aire sale de los pulmones
y pasa por las cuerdas vocales de la garganta.
Es así como las cuerdas vocales vibran
y producen sonido.

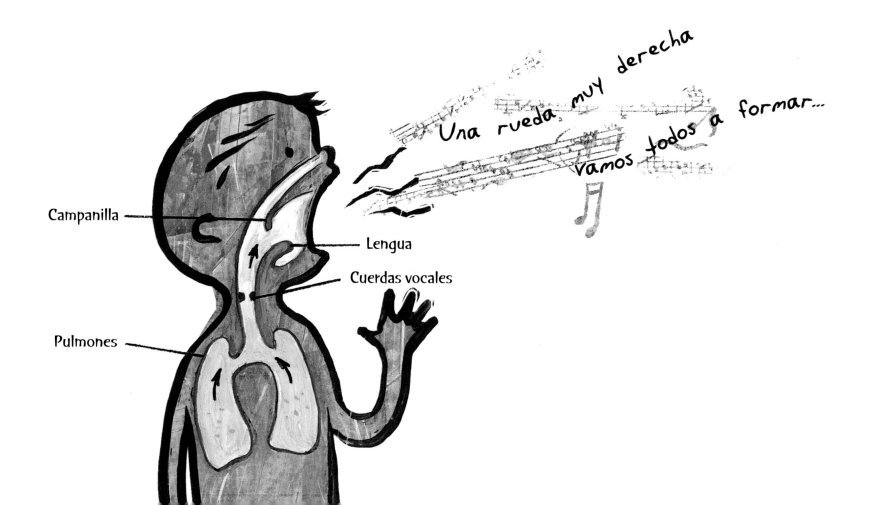

Campanilla

Lengua

Cuerdas vocales

Pulmones

Una rueda muy derecha
vamos todos a formar...

...y si queda muy bien hecha, cantaremos tralalá...

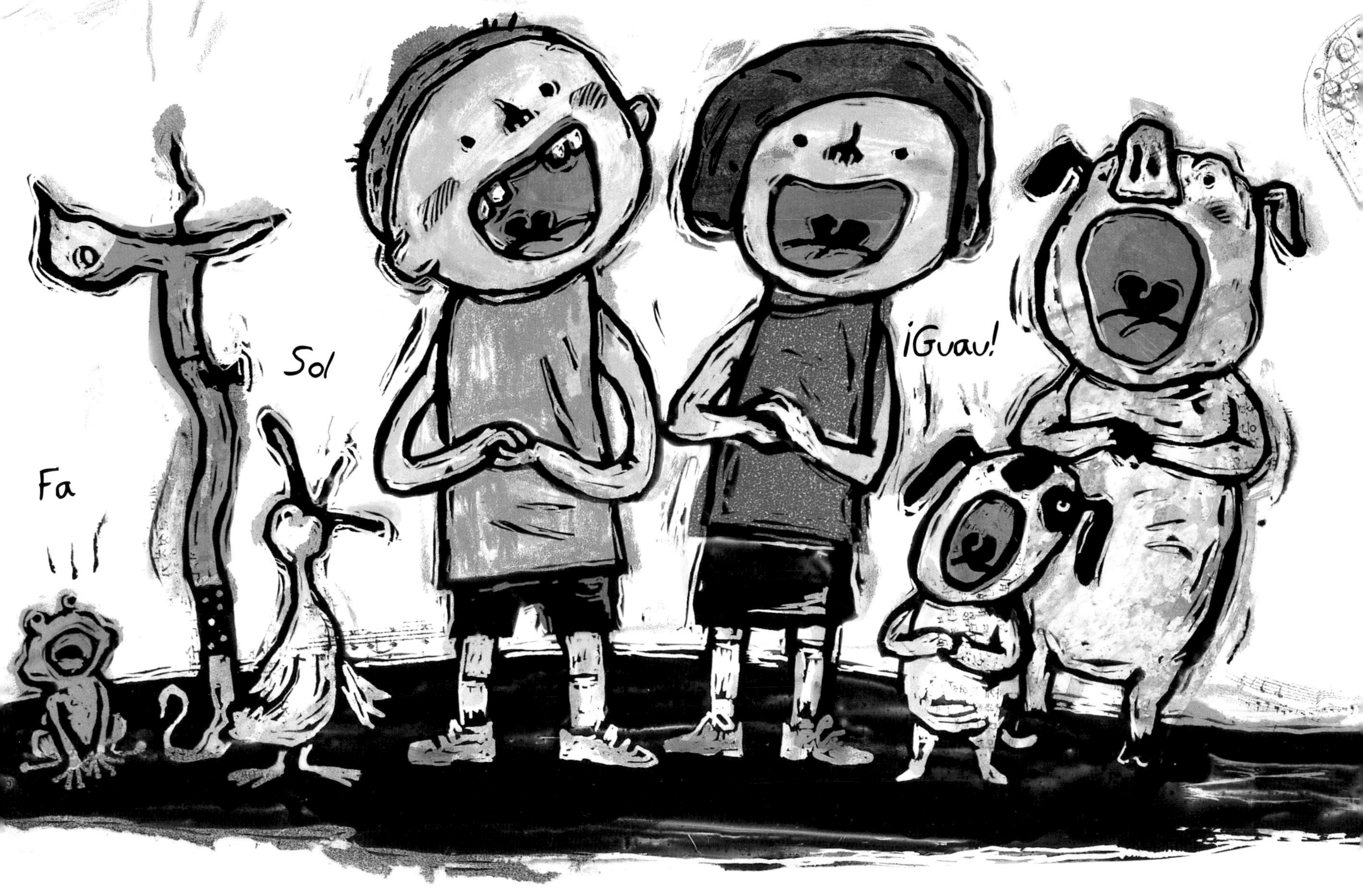

La rana y el niño otra vez tienen la boca abierta.

¿Siguen cantando?

No, no están cantando. ¡Están bostezando!

Cuando tenemos sueño o nos sentimos cansados,
o si estamos con más personas en una habitación,
bostezamos porque nuestro cuerpo necesita más aire.

A veces, cuando bostezamos, la gente a nuestro
alrededor también bosteza.

¿Escuchaste eso?

Tu cuerpo hace sonidos cuando menos lo esperas.

Tu cuerpo siempre hace ruido, aun
cuando no estés hablando o cantando.

¿Por qué haces estos sonidos?

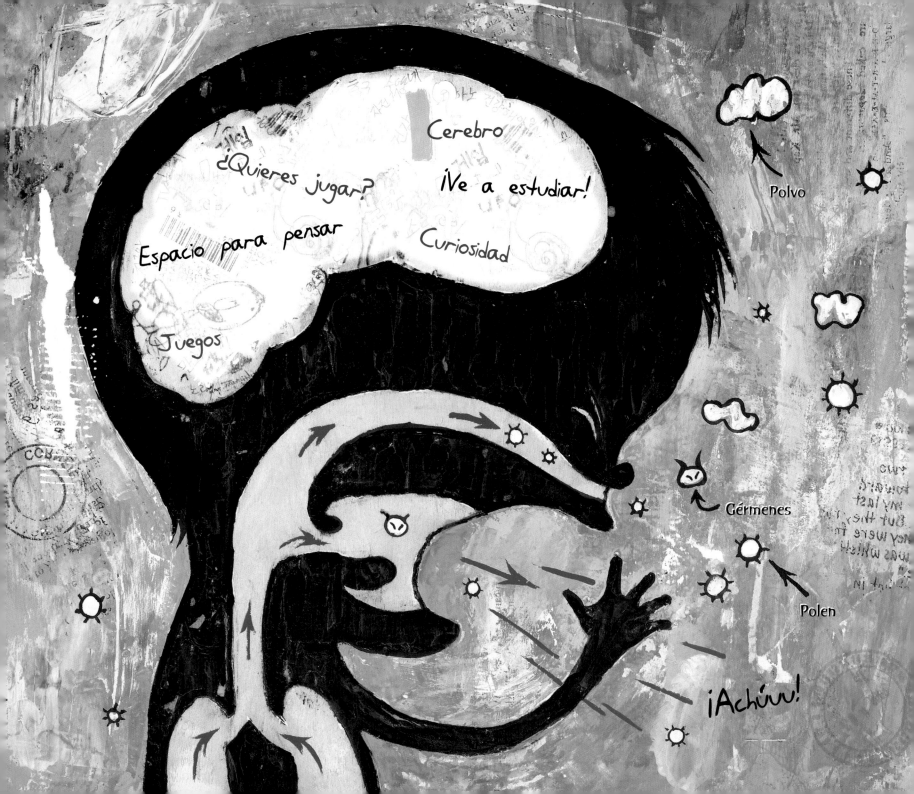

Cuando nos entra polvo o polen en la nariz,
luego luego estornudamos: a... a... ¡achú!

Los estornudos nos ayudan a expulsar éstas
y otras partículas, que no deberían estar
en el organismo.

¿Te ha pasado que después de comer
con prisa, porque ya quieres ir a jugar,
se te sale "un sapo" o eructo?

Si comes o bebes muy rápido, el aire que
tragas al masticar o al beber sale de tu boca,
y suena como el croar de una rana,
¡o el de un sapo!

¡Buuuurp!

¡Hip! ¡Hip! ¡Hip!

El hipo es un sonido que hacemos cuando se forma
una burbuja de aire en el diafragma, un músculo
que está bajo los pulmones. El cuerpo trata de liberar
esta burbuja por el esófago y por la boca.

¿Cómo puedes detener el hipo? ¡Hip!
¡Prueba aguantando la respiración y bebiendo agua
al mismo tiempo! ¡Hip!

¡También puedes pedirle a alguien que te asuste! ¡Hip!

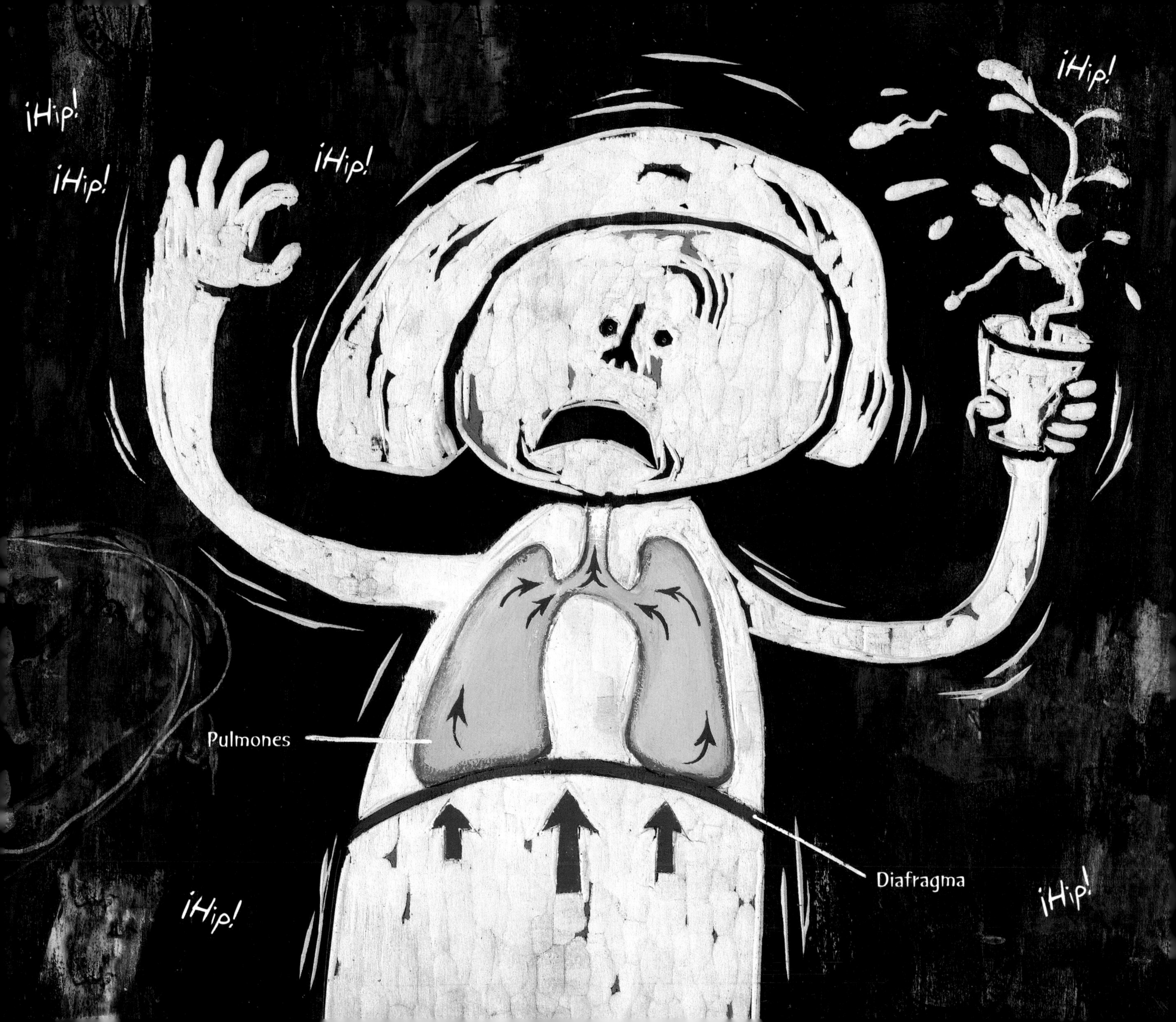
¡Hip!
¡Hip!
¡Hip!
¡Hip!
Pulmones
Diafragma
¡Hip!
¡Hip!

¡Uf! Por fin se te quitó el hipo.
Deberías mantener la boca cerrada.

Ahora pon atención.

¿Qué otro sonido sale de tu interior?

Pum-pum,
pum-pum.

Pum-pum, pum-pum.

¿Escuchaste eso?

Acércate al pecho de un amigo y escucha con atención.
¿Oyes los latidos de su corazón?

Aunque estés muy quieto, tu corazón siempre está latiendo.

Después de correr, tus latidos se aceleran. En vez de hacer pum-pum,
pum-pum, hacen, pum-pum-pum-pum-pum-pum.

El corazón nunca deja de latir, pues bombea sangre a todo el cuerpo.

Pum-pum,
pum-pum.

Estómago

Intestino grueso

Intestino delgado

Comida

Colon

Excremento

¡Gluuurp!

¿Escuchaste eso?

Cuando te da hambre, el estómago hace ruidos muy extraños,
como si rugiera. Eso significa de que el estómago está vacío.

Pero el estómago también ruge después de comer. Esto sucede
porque el intestino grueso y el intestino delgado procesan
o digieren la comida.

Acerca tu oído a la panza de algún amigo.

¿Qué escuchas?

¿Escuchaste eso?

Ese sonido viene del mismo lugar de donde sale el excremento.

El cuerpo expulsa el aire que tragamos
al comer, combinado con los gases
que se producen durante la digestión.

¡Puaj!

¡Gases atronadores!

¡Va a explotar!

Al salir, los gases pueden hacer varios sonidos.
Hay unos que casi no suenan: ¡Pffff!
¡Y ahí viene uno más ruidoso! ¡Un gas tras
otro! Prrt... Prrt... Prrt... Prrt... ¡Prrrrrrtttt!

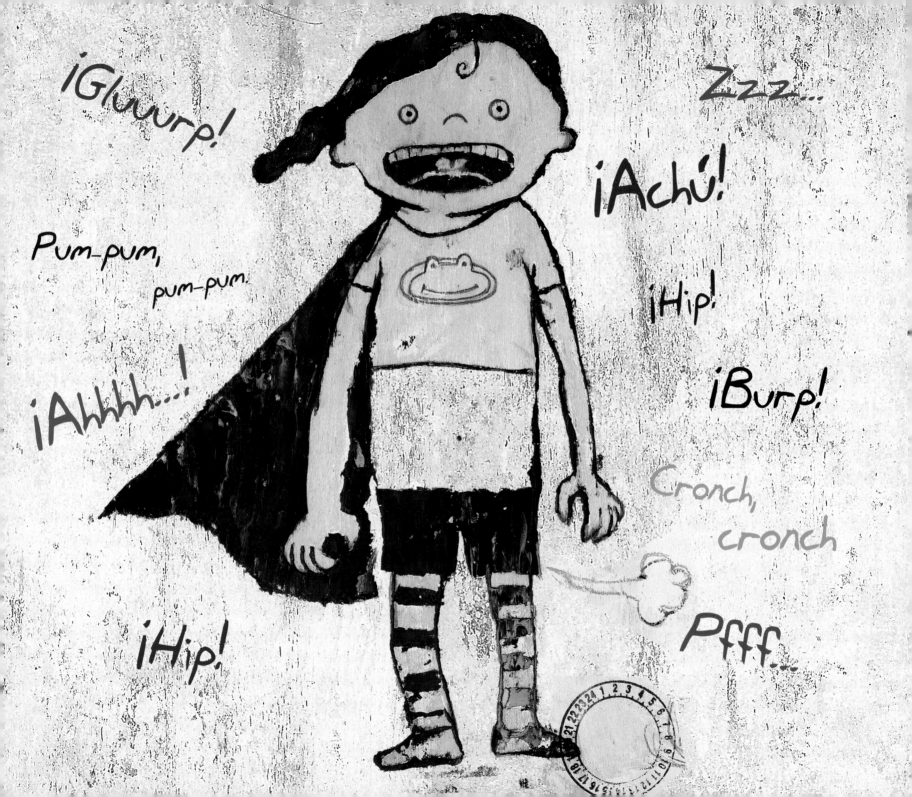

De nuestro cuerpo salen muchos sonidos,
los cuales indican que estamos vivos.

Los sonidos de tu cuerpo nunca se detienen,
ni siquiera cuando estás dormido...

Impreso en los talleres de
Grupo Gráfico Editorial S.a. de C.V.
Calle B no. 8, Parque Industrial Puebla 2000,
Puebla, Puebla.
abril de 2012.